CW00408212

Das didaktische Konzept zu **Sonne, Mond und Sterne**
wurde mit Prof. Dr. Manfred Wespel, Pädagogische Hochschule
Schwäbisch Gmünd, entwickelt.

Beim Druck dieses Produkts wurde
durch den innovativen Einsatz der
Kraft-Wärme-Kopplung im Vergleich
zum herkömmlichen Energieeinsatz
bis zu 52% weniger CO_2 emittiert.
Dr. Schorb, ifeu.Institut

Titelbild und farbige Illustrationen von Alexander Bux
Reproduktion: Zieneke Preprint, Hamburg
Druck und Bindung: Mohn media · Mohndruck GmbH, Gütersloh
Printed 2011/II
ISBN 978-3-7891-0665-1

www.oetinger.de

Rüdiger Bertram

Jacob, der Superkicker

Trikot gesucht

Bilder von
Alexander Bux

Verlag Friedrich Oetinger · Hamburg

Inhalt

1. Das neue Trikot

Jacob und Tom üben Doppelpass.
Tom spielt zu Jacob,
Jacob spielt zu Tom.
Schnell saust der Ball
zwischen den zwei Stürmern
hin und her.

„Alle mal herkommen!“,
unterbricht ihr Trainer das Spiel.
„Ich habe euch etwas mitgebracht.“
Neben ihm steht ein Karton.
Darin sind die neuen Trikots
für die kommende Saison.

Auf dem Rücken von Jacobs Trikot
steht sein Name
und die Nummer zehn.

„Passt gut darauf auf!
Es ist eine Ehre,
dieses Trikot tragen zu dürfen“,
ruft der Trainer, als die Jungen
in die Umkleide laufen.

Die Profi-Mannschaft
von Jacobs Verein
spielt in der 1. Bundesliga.
Der Trainer hat Jacob
bei einem Turnier entdeckt.
Elf Tore hat Jacob dort geschossen.
Da hat der Trainer ihn gefragt,
ob er bei ihnen spielen will.

Klar wollte Jacob!
Er will Profi-Fußballer werden,
so wie alle hier.

Am Anfang war es für ihn schwer:
das Training in der neuen
Mannschaft und die Schule.
Aber jetzt hat Jacob
zwei Freunde gefunden:
Paul und Tom.

Tom spielt in Jacobs Team.
Er ist Stürmer, genau wie Jacob.

Paul geht auf dieselbe Schule
wie Jacob und interessiert sich
kein Stück für Fußball.

Jacob findet das gut, weil Paul ihn
nicht um sein Talent beneidet –
so wie die anderen Jungs
in der Schule.

2. Das Schlammloch

Nach dem Training treffen sich
Tom, Paul und Jacob
auf dem Bau-Spielplatz.
Sie bauen eine Tribüne
für den Bolzplatz.

Jacob und Tom tragen
ihre neuen Trikots.
Sie konnten es einfach
nicht abwarten, sie anzuziehen.

Paul hat einen Pinsel
und einen Eimer Farbe in der Hand,
um die Bretter anzupinseln.
„Hey, pass auf, sonst malst du
mein Trikot an!“, ruft Tom.

„Stell dich nicht so an!
Das ist doch nur ein T-Shirt
mit einer Nummer drauf“, sagt Paul.
„Das verstehst du nicht,
du spielst ja auch kein Fußball“,
erwidert Tom.
„Ein Trikot ist etwas
ganz Besonderes“, erklärt Jacob.

Da rutscht Jacob auf dem
nassen Holz aus
und landet in einer Pfütze.
„Das sehe ich“, ruft Paul und lacht.
„Ganz besonders schmutzig ist es.“

Paul hat recht. Jacobs neues Trikot
ist voller Schlamm.
„Macht nichts“, sagt Jacob.
„Bis zum Spiel morgen
ist es wieder sauber.“

Als das Dach ihrer Tribüne fertig ist,
fängt es an zu regnen.
Paul sitzt im Trockenen
und liest ein Buch.
Nur manchmal guckt er auf
und feuert Jacob und Tom an.

Die beiden stört der Regen
überhaupt nicht.
Sie haben leere Dosen
auf die Tor-Latte gestellt
und wollen sie mit dem Ball
von dort oben herunterschießen.

Jacob nimmt Anlauf
und kickt die erste Dose
von der Latte. Auch Tom trifft.
Schon bald liegen alle Dosen im
Matsch.

Als Jacob nach Hause kommt,
steckt er sein Trikot
in die Waschmaschine.
Das macht er lieber selbst.
Er will sicher sein,
dass bei der Wäsche
nichts schiefläuft.

Einmal hat sein Vater
Jacobs Lieblingshose gewaschen.
Danach war sie ganz rosa.
Seitdem wäscht Jacob die Sachen,
die ihm wichtig sind, selbst.
So schwierig ist das ja nicht.

3. Die verschwundene Wäsche

Am nächsten Morgen holt Jacob
sein Trikot aus dem Trockner.
Es ist wieder schön sauber.
Jacob faltet es ordentlich zusammen
und legt es im Flur
auf einen Stapel Wäsche.

Bis zu ihrem ersten Heimspiel
am Nachmittag ist noch viel Zeit.

Jacob, Paul und Tom arbeiten
auf dem Bau-Spielplatz
an ihrer Tribüne weiter.
Sie soll noch schöner
und bunter werden.

„Als Nächstes bauen wir
aber ein Wikingerschiff“, sagt Paul.

„Einverstanden!“, antwortet Jacob.
„Aber es muss Bullaugen haben.
Genau wie eine Torwand“, sagt Tom.

Jacob sieht auf die Uhr.
„Wir müssen los!
Das Spiel fängt bald an!“, ruft er.
Tom legt den Hammer weg
und schnappt sich seine Sporttasche.

Jacob muss erst noch nach Hause
und seine Sachen packen.
„Aber das geht ganz schnell“,
beruhigt er Tom.

Paul und Tom begleiten
Jacob nach Hause.
Paul will ein Buch abholen,
das er Jacob geliehen hat.

„Es ist ... es ist ... es ist weg!“
Jacob steht im Flur
und ist ganz weiß im Gesicht.
„Mein Buch?“, fragt Paul erschrocken.
Er wartet mit Tom vor der Haustür.

„Viel schlimmer“, antwortet Jacob.
„Mein Trikot!“
Der ganze Stapel Wäsche
ist verschwunden.

Jacob sucht seinen Vater.
Er ist in der Küche und backt Kuchen.

„Weißt du, wo mein Trikot ist?“,
fragt Jacob aufgeregt.
„Woher soll ich das denn wissen?“,
antwortet sein Vater.

„Ich habe es auf den Wäsche-Stapel
im Flur gelegt“, erklärt Jacob.
„Der war für die Altkleider-Sammlung.
Ein Mann hat die Sachen abgeholt,
vor einer halben Stunde etwa“,
sagt sein Vater.

Jacob packt schnell seine Sachen
und rennt zurück zu seinen Freunden.
Jetzt muss alles ganz schnell gehen.
In einer Stunde ist Anpfiff.

4. Die Altkleider-Suche

Tom fährt schon mal vor zum Stadion.
Er soll sich eine gute Ausrede
einfallen lassen für den Fall,
dass Jacob zu spät kommt.

„Aber was soll ich denn sagen?“,
fragt Tom.
„Sag einfach, ein Elefant hat Jacobs
Fahrrad geklaut“, schlägt Paul vor.
„Sehr witzig“, ruft Tom
und schwingt sich auf sein Rad.

Auch Jacob und Paul
nehmen ihre Räder.
Sie machen sich auf die Suche
nach dem Altkleider-Sammler.

„Wenn wir Glück haben,
ist er noch ganz in der Nähe“,
sagt Paul.
Die Jungen fahren durch die Siedlung
und halten die Augen offen.

„Da vorne! Da ist er!“, ruft Jacob.
Ein Lastwagen parkt
vor ihnen am Straßenrand.
Er hat ganz viele Plastiksäcke
mit alten Kleidern geladen.

„Was sollen wir jetzt machen?“,
fragt Jacob.
„Dein Trikot suchen, was sonst?“,
antwortet Paul
und springt von seinem Rad.

Jacob und Paul klettern
auf die Ladefläche
und wühlen in den Säcken.
Sie finden alte Baby-Strampler,
lange Unterhosen und bunte Röcke.
Jacobs Trikot finden sie nicht.

„Guck mal, da!“, ruft Paul
und zeigt in die Fahrer-Kabine.
Da hängt das Trikot
auf einem Kleiderbügel.

Sie springen von der Ladefläche
und laufen um den Wagen herum.
Jacob rüttelt an der Tür.
„Mist! Abgeschlossen!“, schimpft er.

Die beiden drücken sich ihre Nasen
an der Scheibe platt.
Kein Zweifel, da hängt Jacobs Trikot
mit der Nummer zehn auf dem Rücken.

„Hey, ihr da! Was macht ihr da?“,
ruft plötzlich ein Mann hinter ihnen.
„Das da ist meins!“ Jacob dreht sich um
und zeigt auf das Trikot.

„Irrtum, jetzt gehört es meinem Sohn.
Er liegt krank im Bett
und über das Trikot
wird er sich riesig freuen“,
erwidert der Mann.
Er schließt die Tür auf
und setzt sich hinter das Lenkrad.

5. Der Tausch

Jacob heult fast vor Wut.
Zum Glück hat Paul eine Idee.
„Heißt Ihr Sohn denn Jacob?“,
fragt er den Fahrer.
„Nein, der heißt Thomas“,
antwortet der Mann.

„Auf dem Trikot steht aber JACOB“,
erklärt Paul geduldig. „Damit ist klar,
dass es meinem Freund gehört.“

„Es ist nur versehentlich
zwischen den alten Sachen gelandet“,
versichert Jacob.
„Kann ja jeder behaupten“,
sagt der Mann misstrauisch.
„Du musst mir erst mal beweisen,
dass du wirklich Jacob heißt.“

„Zeig ihm deinen Schülerausweis“,
schlägt Paul vor.
Jacob holt den Ausweis heraus.

„Stimmt“, sagt der Mann.
„Dabei hätte mein Sohn
sich so über das Trikot gefreut.
Er ist ein Riesen-Fan von
deinem Verein.“

„Ist Ihr Sohn denn sehr krank?“,
fragt Jacob.
Der Mann nickt nur.

Da hat Paul eine Idee.
„Dann bringen Sie ihm das hier mit!“,
sagt er und reicht dem Mann
das Buch, das er Jacob
geliehen hatte.
„Das ist superspannend.“

Der Mann zögert einen Moment.
Dann tauscht er das Trikot
gegen das Buch.

„Und ich besorg Ihrem Sohn Karten
für das nächste Spiel! Versprochen!
Aber jetzt müssen wir los!“, ruft Jacob
und schwingt sich auf sein Rad,
ehe der Mann es sich
noch anders überlegt.

6. Spielstart

Paul und Jacob
rasen die Straße hinunter.
Atemlos erreichen sie das Stadion.

„Hat der Elefant dein Rad
wieder rausgerückt?“,
fragt der Trainer grinsend.
„Mir ist nichts Besseres eingefallen“,
flüstert Tom.

„Ja, wir haben ihn erwischt
und zurück in den Zoo gebracht“,
antwortet Paul und grinst zurück.
Jacob zieht sich schnell um.

Beim Anstoß kickt Tom den Ball
zu Jacob.
Jacob passt ihn gleich wieder zurück
zu Tom.
Genau so, wie sie es trainiert haben.

Mit einem vierfachen Doppelpass
spielen sie die Verteidiger
schwindelig.

Dann sind sie auch schon
im Strafraum
und Jacob hämmert den Ball
zum Eins-zu-null unter die Latte.

Jacob jubelt und läuft zur Tribüne.
Dort sitzt Paul und liest – wie immer.
Das Tor hat Paul gar nicht gesehen.
Aber jetzt schaut er von dem Buch auf,
weil er seinen Namen hört.

„Paul!“, ruft Jacob.
„Das Tor war für dich!
Für den besten Freund der Welt!“

Hallo!
Ich bin Luna Leseprofi.
Ich fliege durch das All.
Und ich bin ein echter Leseprofi.
Möchtest du mit mir lesen lernen?

Dann beantworte die 6 Fragen.
Löse jetzt das Rätsel und komm mit
in meine Lese-Welt im Internet.
Dort gibt es noch mehr
spannende Spiele und Rätsel!

Leserätsel

1. Welche Nummer steht auf Jacobs Trikot?

H : die Nummer neun

W: die Nummer zehn

P : die Nummer elf

2. Wovon wird Jacobs Trikot schmutzig?

Ü: von der Farbe

E: vom Regenwasser

Ä: vom Schlamm

3. Warum wäscht Jacob sein Trikot selbst?

M: Sein Vater hat keine Zeit dafür.

S: Sein Vater passt nicht so gut auf wie Jacob.

L: Jacob wäscht so gern Wäsche.

4. Wie viel Zeit hat Jacob, um sein Trikot wiederzufinden?

C: nur eine Stunde

R: nur einen Nachmittag

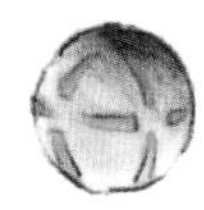

F: nur einen Tag

5. Das Trikot soll ...

H: einen kranken Jungen trösten.

K: nach Afrika geschickt werden.

O: umgefärbt werden.

6. Wusste Tom eine gute Ausrede?

N: Nein, Tom ist selbst noch nicht da.

E: Nein, er hat nicht gut nachgedacht.

A: Ja, der Trainer hat alles geglaubt.

Lösung: ___ ___ ___ ___ ___ ___

Hast du das Rätsel gelöst?
Dann gib das Lösungswort unter
www.LunaLeseprofi.de ein.
Hole deine Familie, deine Freunde
und Lehrer dazu. Du kannst dann
noch mehr Spiele machen.
Viel Spaß! Deine Luna